MODERATE LEVEL

MATCHING CHINESE CHARACTERS AND PINYIN

把汉字和拼音连起来

MANDARIN CHINESE PINYIN TEST SERIES

测试你的拼音知识

PART 4

Simplified Mandarin Chinese Characters with Pinyin and English, Mind Games, Test Your Knowledge of Pinyin with Multiple Answer Choice Puzzle Questions, Fast Reading & Vocabulary, Answers Included, Easy Lessons for Beginners, HSK All Levels

DENG YIXIN 邓艺心

ACKNOWLEDGEMENT

I would like to thank everyone who helped me complete this book, including my teachers, family members, friends, colleagues.

谢谢

Deng Yixin

邓艺心

INTRODUCTION

Chinese language and culture are a huge concept. In order to understand and appreciate Mandarin Chinese, we need to understand the language. Learning Chinese character is a very important part of learning the language. And, yes, learning pinyin is a must!

Welcome to **Connecting Chinese Characters and Pinyin Test Series**. Now you can test the knowledge of your Chinese pinyin (测试你的拼音知识). In these books and lessons therein, you will learn recognizing pinyin of the simplified Chinese characters. The books contain hundreds of character-pinyin matching **puzzles** (questions). For each question, there are Chinese characters in the left column and pinyin in the right column. You need to guess the correct pinyin of the given characters (把汉字和拼音连起来). The **English** meanings of the Chinese characters has been included a quick reference. The answers of all the question are provided at the end of the book.

CONTENTS

CHAPTER 1: QUESTIONS (1-30)

#1.

A. 瑚

B. 转

C. 膏

D. 彖

E. 砰

1. Tuàn (Infer)

2. Gāo (Fat)

3. Pēng (Bang)

4. Hú (Coral)

5. Zhuàn (Revolve)

#2.

A. 齐

B. 酋

C. 没

D. 泚

E. 贺

1. Cǐ (Clear)

2. Hè (Congratulate)

3. Qiú (Chief of a tribe)

4. Qí (Neat)

5. Mò (Sink)

#3.

A. 邰

B. 且

C. 遢

D. 饢

1. Shéng (Rope)

2. Tà (Careless)

3. Tái (A surname)

4. Qiě (Just)

E. 绳   5. Náng (A kind of crusty pancake)

#4.

A. 鲦   1. Duó (Seize)

B. 此   2. Cǐ (This)

C. 确   3. Què ()

D. 床   4. Tiáo (Chub)

E. 夺   5. Chuáng (Bed)

#5.

A. 糯   1. Bìng (Illness)

B. 筑   2. Zhú (Another name for Guiyang)

C. 树   3. Nuò (Glutinous (cereal))

D. 央   4. Yāng (Central)

E. 病   5. Shù (Tree)

#6.

A. 鸥   1. Fú (That)

B. 皆   2. Dān (Ref)

C. 夫   3. Jǐ (The Ji River)

D. 丹   4. Jiē (All)

E. 济   5. Ōu (Gull)

#7.

A. 景   1. Fǎn (Reverse side)

B. 反   2. Jǐng (View)

C. 辽   3. Liáo (Distant)

D. 瓴   4. Líng (Water jar)

E. 繇   5. Yóu (By means of)

#8.

A. 结   1. Nài (A kind of apple)

B. 奈   2. Lì (Stagnant)

C. 猋   3. Yú (The joint formed by the lateral end of the clavicle
of the human body and the acromion of the scapula)

D. 髃   4. Jiē (Bear fruit)

E. 渗   5. Biāo (Dashing)

#9.

A. 隍   1. Lóng (Cage)

B. 谦   2. Qiān (Modest)

C. 悍   3. Hàn (Brave)

D. 沈   4. Huáng (Dry moat outside a city wall)

E. 笼 5. Chén (Short for Shenyang)

#10.

A. 瑞   1. Yú (The joint formed by the lateral end of the clavicle of the human body and the acromion of the scapula)

B. 鳏   2. Guān (Huge fish)

C. 冷   3. Chún (Mellow wine)

D. 髃   4. Ruì (Auspicious)

E. 醇   5. Lěng (Cold)

#11.

A. 馇   1. Tài (Too)

B. 太   2. Zēng (Great-grand)

C. 球   3. Lěi (Build by piling up bricks, stones, earth, etc.)

D. 垒   4. Qiú (Sphere)

E. 曾   5. Chā (Cook and stir)

#12.

A. 萦   1. Wéi (Leather)

B. 碗   2. Jiù (Past)

C. 韦   3. Yíng (Entangle)

D. 泔   4. Gān (Swill)

E. 旧   5. Wǎn (Bowl)

#13.

A. 附   1. Huài (Bad)

B. 纹   2. Guàn (Be used to)

C. 隈   3. Wēi (River bend)

D. 惯   4. Wén (Lines)

E. 坏   5. Fù (Attach)

#14.

A. 胞   1. Ér (Beard)

B. 痴   2. Wén (Character)

C. 肵   3. Sì (Raise)

D. 饲   4. Bó (A kind of grass mentioned in ancient books)

E. 文   5. Chī (Silly)

#15.

A. 绿   1. Xī (To quarrel)

B. 镤   2. Nuó (A surname)

C. 冲   3. Xún (Tame)

D. 驯   4. Lǜ (Green)

E. 郺   5. Chòng (Powerful)

#16.

A. 汭   1. Fén (Male livestock)

B. 坝   2. Ruì (The confluence of streams)

C. 驷   3. Bà (Dam)

D. 家   4. Jiā (Family)

E. 豮   5. Sì (A team of four horses)

#17.

A. 靠   1. Chū (For the first time)

B. 初   2. Yǎn (Net for catching birds or fish)

C. 死   3. Sǐ (Dead)

D. 上   4. Kào (Lean against)

E. 罨   5. Shǎng (Falling-rising tone)

#18.

A. 易   1. Pèi (Spouse)

B. 珊   2. Shān (Coral)

C. 配   3. Lì (Drop)

D. 参   4. Yì (Easy)

E. 沥   5. Cān (Participate)

#19.

A. 氽   1. Hàn (Weld)

B. 焊   2. Tǔn (Float)

C. 万   3. Tān (Palsy)

D. 郗   4. Wàn (Ten thousand)

E. 瘫   5. Xī (A surname)

#20.

A. 秫   1. Bà (Dam)

B. 鞘   2. Hésè (Rough)

C. 糙   3. Shú (Kaoliang)

D. 坝   4. Zhǐ (An ancient measure of length, equal to 8 cun)

E. 咫   5. Shāo (Whiplash)

#21.

A. 弈   1. Qiū (A surname)

B. 壳   2. Dǒu (Steep)

C. 虚   3. Qiào (Shell)

D. 邱   4. Yì (Play chess)

E. 陡   5. Xū (Void)

#22.

A. 皮   1. Pí (Skin)

B. 狩   2. Shòu (Hunt in winter)

C. 脸   3. Bǎn (Board)

D. 板   4. Bì (Wig)

E. 髪   5. Liǎn (Face)

#23.

A. 艰   1. Zàng (Big)

B. 甋   2. Mò (Tip)

C. 奘   3. Bà (Spanish mackerel)

D. 末   4. Jiān (Difficult)

E. 鲃   5. Jī (Fine)

#24.

A. 的   1. Yǐn (Drink)

B. 饮   2. Yǎo (Deep)

C. 和   3. De (And so on)

D. 朱   4. Huò (Mix)

E. 窈　　　　　5. Zhū (Bright red)

#25.

A. 罚　　　　　1. Fá (Punish)

B. 匆　　　　　2. Cōng (Hasty)

C. 趋　　　　　3. Pào (Bubble)

D. 机　　　　　4. Qū (Hasten)

E. 泡　　　　　5. Jī (Machine)

#26.

A. 和　　　　　1. Huò (Mix)

B. 馆　　　　　2. Guǎn (Accommodation for guests)

C. 屦　　　　　3. Jù (Straw sandals)

D. 罔　　　　　4. Wǎng (Deceive)

E. 炭　　　　　5. Tàn (Charcoal)

#27.

A. 窗　　　　　1. Qū (Black)

B. 耸　　　　　2. Sǒng (Tower aloft)

C. 觑　　　　　3. Màn (Graceful)

D. 黢　　　　　4. Chuāng (Window)

E. 曼   5. Qū (Narrow)

#28.

A. 钻   1. Zhǎn (Set in motion)

B. 羔   2. Gū (Vehicle)

C. 斧   3. Páo (Roe deer)

D. 狍   4. Fǔ (Axe)

E. 飑   5. Gāo (Lamb)

#29.

A. 对   1. Lòng (Lane)

B. 凝   2. Níng (Congeal)

C. 冬   3. Dōng (Winter)

D. 弄   4. Duì (Answer)

E. 无   5. Wú (No)

#30.

A. 沫   1. Kǎ (Card)

B. 沆   2. Hàng (A vast expanse of water)

C. 畀   3. Mèi (Mei, the capital of the Shang Dynasty)

D. 肝   4. Bì (Give)

E. 卡

5. Gān (Liver)

#31.

A. 骒   1. Kè (Female (animal))

B. 购   2. Gòu (Purchase)

C. 酬   3. Jìng (Still)

D. 霈   4. Pèi (Heavy rain)

E. 静   5. Chóu (Propose a toast)

#32.

A. 奕   1. Yì (Adept)

B. 盛   2. Chéng (Fill)

C. 鞑   3. Ké (Shell)

D. 窗   4. Chuāng (Window)

E. 壳   5. Dá (Tatars)

#33.

A. 蜈   1. Jiù (Rescue)

B. 垃   2. Yú (Corner)

C. 救   3. Lā (Garbage)

D. 隅   4. Shēn (Ginseng)

E. 参　　　　　　　5. Wú (Centipede)

#34.

A. 矼　　　　　　　1. Ē (Defecate)

B. 屙　　　　　　　2. Pèi (Copious)

C. 沛　　　　　　　3. Gāng (Stone bridge)

D. 昼　　　　　　　4. Huàng (Shake)

E. 晃　　　　　　　5. Zhòu (Daytime)

#35.

A. 忒　　　　　　　1. Dīng (Mend the sole of a shoe)

B. 扎　　　　　　　2. Zhā (Prick)

C. 刺　　　　　　　3. Cī (Whoosh (onomatopoeia))

D. 黟　　　　　　　4. Tè (Make a mistake)

E. 靪　　　　　　　5. Yī (Black and shining ebony)

#36.

A. 跑　　　　　　　1. Kuí (Path)

B. 馗　　　　　　　2. Pǎo (Run)

C. 葛　　　　　　　3. Gé (Arrowroot)

D. 奕　　　　　　　4. Wèi (Wei, a state in the Zhou Dynasty)

E. 卫   5. Yì (Adept)

#37.

A. 法   1. Áo (Boil)

B. 龅   2. Bāo (Bucktooth)

C. 郯   3. Fǎ (Law)

D. 轩   4. Xuān (High)

E. 熬   5. Tán (Tan, a state in the Zhou Dynasty)

#38.

A. 惯   1. Dùn (Shield)

B. 辟   2. Jiào (Check)

C. 盾   3. Chuí (Frontiers)

D. 陲   4. Pì (Open up)

E. 校   5. Guàn (Be used to)

#39.

A. 薪   1. Kē (Condyle)

B. 弇   2. Xīn (Salary)

C. 汽   3. Qì (Vapor)

D. 髁   4. Yǎn (A surname)

E. 台   5. Tāi (Short for Taizhou)

#40.

A. 琊   1. Huī (Brightness)

B. 辉   2. Qiāng (Ask)

C. 将   3. Yá (A place in Shandong)

D. 洎   4. Jì (Reach (a point or a period of time))

E. 怯   5. Qiè (Timid)

#41.

A. 炮   1. Bēi (Sad)

B. 赣   2. Gàn (Short name for Jiangxi province)

C. 可   3. Pào (Big gun)

D. 屠   4. Kě (Can)

E. 悲   5. Tú (Slaughter or butcher)

#42.

A. 黜   1. Tā (He)

B. 他   2. Huá (Best)

C. 华   3. Chù (Remove sb. from office)

D. 旨   4. Zhǐ (Purpose)

E. 迫   5. Pò (Compel)

#43.

A. 耿   1. Xī (A surname)

B. 趟   2. Tàng (Time)

C. 庐   3. Tuó (A small bay in a river)

D. 郗   4. Hù (Bail)

E. 沱   5. Gěng (Shining)

#44.

A. 差   1. Chǎ (Step on)

B. 斯   2. Jiè (Boundary)

C. 体   3. Sī (This)

D. 界   4. Tǐ (Body)

E. 碴   5. Chā (Difference)

#45.

A. 仿   1. Yāng ((Of waters) vast)

B. 姜   2. Fǎng (Imitate)

C. 猎   3. Liè (Hunt)

D. 泱   4. Jiāng (Ginger)

E. 技   5. Jì (Skill)

#46.

A. 骷   1. Wán (Stupid)

B. 顽   2. Qiǎng (Make an effort)

C. 强   3. Chuán (Boat)

D. 姜   4. Jiāng (Ginger)

E. 舡   5. Hóu (Epiphysis)

#47.

A. 挑   1. Jiān (Small)

B. 龈   2. Táng (Birch leaf pear)

C. 过   3. Tiǎo (Stir up)

D. 戋   4. Guō (Go beyond the limit)

E. 棠   5. Yín (Gum)

#48.

A. 罟   1. Bèi (Have)

B. 备   2. Kǎ (Block)

C. 孙   3. Ōu (Bowl)

D. 卡   4. Gǔ (Fish net)

E. 瓯   5. Sūn (A surname)

#49.

A. 取   1. Pǐ (Mound)

B. 嚭   2. Qǔ (Take)

C. 丈   3. Jià (Price)

D. 价   4. Zhàng (Husband)

E. 彩   5. Cǎi (Variegated color)

#50.

A. 狍   1. Hán (South Korean)

B. 戒   2. Páo (Roe deer)

C. 居   3. Kě (Can)

D. 韩   4. Jiè (Guard against)

E. 可   5. Diàn (Door latch)

#51.

A. 笋   1. Zé (Standard)

B. 仙   2. Sī (Take charge of)

C. 司   3. Tā (It)

D. 它   4. Xiān (Celestial being)

E. 则   5. Sǔn (Bamboo shoot)

#52.

A. 限   1. Bài (Make a courtesy call)

B. 酵   2. Jiào (Ferment)

C. 赊   3. Shē (On credit)

D. 拜   4. Xiàn (Limit)

E. 在   5. Zài (Exist)

#53.

A. 龈   1. Yín (Gum)

B. 耘   2. Yún (Weed (the fields))

C. 供   3. Jìng (Compete)

D. 旖   4. Gòng (Offerings)

E. 竞   5. Yǐ (Charming and gentle)

#54.

A. 耤   1. Xù (A surname)

B. 谐   2. Xié (In harmony)

C. 浡   3. Qīng (Blue or green)

D. 青   4. Jí (Plough)

E. 孢

5. Bāo (Spore)

#55.

A. 皂

1. Àn (Table)

B. 阮

2. Cī (Whoosh (onomatopoeia))

C. 上

3. Zào (Black)

D. 刺

4. Shǎng (Falling-rising tone)

E. 案

5. Ruǎn (Nephew)

#56.

A. 躲

1. Rán (Burn)

B. 敢

2. Wú (Grassland)

C. 匪

3. Fěi (Bandit)

D. 燃

4. Gǎn (Dare)

E. 芜

5. Duǒ (Hide)

#57.

A. 背

1. Sī (Cool breeze)

B. 爷

2. Gān (Embarrassed)

C. 炒

3. Bèi (Body's back)

D. 尬

4. Chǎo (Stir-fry)

E. 飔   5. Yé (Grandfather)

#58.

A. 研   1. Huā (Flower)

B. 医   2. Yī (Doctor)

C. 耋   3. Dié (Septuagenarian)

D. 张   4. Yán (Grind)

E. 花   5. Zhāng (A surname)

#59.

A. 廊   1. Láng (Porch)

B. 正   2. Liú (Tassel)

C. 耐   3. Guī (Tortoise)

D. 龟   4. Nài (Be able to bear or endure)

E. 旒   5. Zhèng (Straight)

#60.

A. 雀   1. Lū (Chatter)

B. 刚   2. Gāng (Hard)

C. 栽   3. Zāi (Plant)

D. 噜   4. Yín (Gum)

E. 断

5. Qiǎo (Sparrow)

#61.

A. 占

B. 贷

C. 毂

D. 搁

E. 改

1. Zhàn (Occupy)

2. Gǎi (Change)

3. Dài (Loan)

4. Gé (Bear)

5. Gǔ (Hub)

#62.

A. 珀

B. 於

C. 鄂

D. 约

E. 赠

1. Zèng (Gift)

2. Pò (Amber)

3. È (Another name for Hubei Province)

4. Yuē (Make an appointment)

5. Wū (What)

#63.

A. 临

B. 个

C. 斑

D. 飔

1. Lín (Be close to)

2. Bān (Spot)

3. Sī (Cool breeze)

4. È (Another name for Hubei Province)

E. 鄂   5. Gè (Individual)

#64.

A. 翘   1. Jiù (Vulture)

B. 醒   2. Jiāo (Burnt)

C. 焦   3. Qiáo (Raise)

D. 鹫   4. Guī (Be converted to Buddhism)

E. 皈   5. Xǐng (Regain consciousness)

#65.

A. 卡   1. Jì (Cease raining or snowing)

B. 采   2. Lào (Level)

C. 叵   3. Kǎ (Block)

D. 耢   4. Pǒ (Impossible)

E. 霁   5. Cǎi (Pick)

#66.

A. 旷   1. Dān (A surname)

B. 怖   2. Yǔn (Fall from the sky or outer space)

C. 陨   3. Bù (Be afraid of)

D. 翊   4. Yì (Assist)

E. 郓   5. Kuàng (Open)

#67.

A. 汤   1. Wěi (Entrust)

B. 郓   2. Jī (Odd)

C. 罯   3. Lì (Scold)

D. 委   4. Tāng (Hot water)

E. 犄   5. Yùn (A surname)

#68.

A. 廊   1. Suì (Break to pieces)

B. 秫   2. Jiǒng (Sunlight)

C. 炅   3. Láng (Porch)

D. 碎   4. Shú (Kaoliang)

E. 珲   5. Hún (A kind of jade)

#69.

A. 韩   1. Xīn (Prosper in business)

B. 惨   2. Táng (Sugar)

C. 糖   3. Cǎn (Miserable)

D. 鑫   4. Tōng (Open)

E. 通   5. Hán (South Korea)

#70.

A. 胃   1. Líng (Clear and cool)

B. 宿   2. Juàn (Bird catching net)

C. 阨   3. È (Strategic point)

D. 蜃   4. Shèn (Clam)

E. 泠   5. Sù (Lodge for the night)

#71.

A. 坛   1. Tán (Altar)

B. 盘   2. Chǎo (Stir-fry)

C. 炒   3. Bù (Be afraid of)

D. 奇   4. Qí (Odd)

E. 怖   5. Pán (Tray)

#72.

A. 醁   1. Kū (Dry)

B. 陪   2. Lù (Good wine)

C. 枯   3. Jīng (Flag)

D. 旌   4. Péi (Accompany)

E. 翳   5. Yì (Slight corneal opacity)

#73.

A. 礼   1. Yōng (Inferior)

B. 衩   2. Chà (Vent in the sides of a garment)

C. 庸   3. Xù (To raise (domestic animal))

D. 骖   4. Lǐ (Courtesy)

E. 畜   5. Cān (Three horses)

#74.

A. 崇   1. Chóng (High)

B. 迪   2. Qiāo (Quiet)

C. 解   3. Dí (Enlighten)

D. 千   4. Qiān (Thousand)

E. 悄   5. Jiè (Send under guard)

#75.

A. 郍   1. Qì (Almost)

B. 鲌   2. Nuó (A surname)

C. 虢   3. Dàn (Egg)

D. 汔
(Dynasty))

4. Guó (Dukedom of Guo (a vassal state of the Zhou

E. 蛋

5. Bà (Spanish mackerel)

#76.

A. 京

1. Lǐn (Cold)

B. 鳏

2. Guān (Huge fish)

C. 龙

3. Lóng (Dragon)

D. 凛

4. Mù (Herd)

E. 牧

5. Jīng (The capital of a country)

#77.

A. 娘

1. Kōng (Empty)

B. 空

2. Niáng (Ma)

C. 玄

3. Xuán (Mysterious)

D. 聪

4. Cōng (Faculty of hearing)

E. 刹

5. Chá (A surname)

#78.

A. 怪

1. Qí (Very old)

B. 句

2. Gōu (Tender bud)

C. 研

3. Jí (Lean)

D. 耆   4. Guài (Strange)

E. 瘠   5. Yán (Grind)

#79.

A. 吓   1. Chī (Silly)

B. 曦   2. Xī (The sunrise)

C. 痴   3. Xíng (A surname)

D. 邢   4. Hè (Threaten)

E. 流   5. Liú (Flow)

#80.

A. 炎   1. Yūn (A strong fragrance)

B. 氲   2. Shǎn (Short for Shanxi Province)

C. 娥   3. Yán (Scorching)

D. 扉   4. É (Pretty young woman)

E. 陕   5. Fēi (Door panel)

#81.

A. 野   1. Kuò (Outline)

B. 诈   2. Tí (Red wine)

C. 虐   3. Nüè (Cruel)

D. 醍   4. Yě (Open country)

E. 廓   5. Zhà (Fraud)

#82.

A. 骖   1. Cān (Three horses)

B. 届   2. Lù (Commonplace)

C. 碌   3. Rù (Elaborate)

D. 缛   4. Shì (Yes)

E. 是   5. Jiè (Fall due)

#83.

A. 烬   1. Xī (To quarrel)

B. 猹   2. Jìn (Cinder)

C. 磎   3. Yí (Doubt)

D. 眛   4. Mò (Light white)

E. 疑   5. Chá (A badger-like wild animal)

#84.

A. 节   1. Mì (Secret)

B. 密   2. Xiān (Fresh)

C. 鲜   3. Jié (Section)

D. 角

4. Jiǎo (Horn)

E. 易

5. Yì (Easy)

#85.

A. 秃

1. Lóng (Grand)

B. 隆

2. Jià (Harness)

C. 郎

3. Láng (An ancient official title)

D. 驾

4. Qíng (Feeling)

E. 情

5. Tū (Bald)

#86.

A. 夸

1. Sūn (A surname)

B. 繁

2. Shēng (Sound)

C. 琅

3. Fán (In great number)

D. 孙

4. Láng (A surname)

E. 声

5. Kuā (Boast)

#87.

A. 倾

1. Xiáo (Confuse)

B. 瓷

2. Liù (Six)

C. 畿

3. Qīng (Incline)

D. 六   4. Jī (Environs of a capital)

E. 瓷   5. Cí (Porcelain)

#88.

A. 弈   1. Pǎng (Thigh)

B. 髈   2. Tǎng (Lie)

C. 解   3. Yíng (Be full of)

D. 盈   4. Yì (Play chess)

E. 躺   5. Xiè (Understand)

#89.

A. 琳   1. Hūn (Dusk)

B. 陛   2. Huà (Horned ewe)

C. 牲   3. Shēng (Liter)

D. 粤   4. Lín (Beautiful jade)

E. 昏   5. Yuè (Another name for Guangdong Province)

#90.

A. 纫   1. Fù (Father)

B. 匙   2. Rèn (Thread)

C. 父   3. Guàn (Taoist temple)

D. 粗

E. 观

4. Chí (Spoon)

5. Cū (Wide)

CHAPTER 4: QUESTIONS (91-120)

#91.

A. 饥   1. Hú (Finest cream)

B. 皈   2. Guò (Cross)

C. 卝   3. Jī (Hungry)

D. 醐   4. Kuàng (Hair style)

E. 过   5. Guī (Be converted to Buddhism)

#92.

A. 汪   1. Yàng (Ailment)

B. 恙   2. Liáo (Distant)

C. 昀   3. Yún (Sunlight)

D. 辽   4. Zhēn (Genuine)

E. 真   5. Wāng (A surname)

#93.

A. 乩   1. Niàn (Read aloud)

B. 醺   2. Qié (A surname)

C. 念   3. Zhāng (Clear)

D. 倚   4. Xūn (Drunk)

E. 彰   5. Yǐ (Lean on or against)

#94.

A. 叩   1. Sàn (Break up)

B. 后   2. Wàng (Arrogant)

C. 散   3. Fěi (Rich with literary grace)

D. 妄   4. Hòu (Behind)

E. 斐   5. Kòu (Knock)

#95.

A. 鳗   1. Mán (Eel)

B. 驲   2. Táng (For nothing)

C. 炸   3. Zhà (Explode)

D. 唐   4. Rì (Post horse)

E. 至   5. Zhì (To)

#96.

A. 陬   1. Shì (Thing)

B. 泻   2. Xiè (Flow swiftly)

C. 寨   3. Zōu (Corner)

D. 事   4. Fèng (Seam)

E. 缝   5. Zhài (Stockade)

#97.

A. 熏　　　　　　1. Yāng (Mandarin duck)

B. 媛　　　　　　2. Xùn (Be poisoned or suffocated by coal gas)

C. 鸯　　　　　　3. Yuàn (Pretty girl)

D. 阜　　　　　　4. Fù (Mound)

E. 蒜　　　　　　5. Suàn (Garlic)

#98.

A. 采　　　　　　1. Jiàn (An imperial office)

B. 泥　　　　　　2. Mǎng (Rank grass)

C. 莽　　　　　　3. Nì (Cover or daub with plaster, putty, etc.)

D. 监　　　　　　4. Cǎi (Pick)

E. 层　　　　　　5. Céng (Storey)

#99.

A. 馥　　　　　　1. Fù (Fragrance)

B. 空　　　　　　2. Ěi (Sigh)

C. 欵　　　　　　3. Kòng (Leave empty or blank)

D. 随　　　　　　4. Suí (Follow)

E. 另　　　　　　5. Lìng (Another)

#100.

A. 冲

B. 郜

C. 麼

D. 旺

E. 续

1. Xù (Continued)

2. Gào (A surname)

3. Wàng (Prosperous)

4. Mó (Kisses)

5. Chōng (Thoroughfare)

#101.

A. 朝

B. 耶

C. 弭

D. 尾

E. 醍

1. Mǐ (Quell)

2. Cháo (Royal court)

3. Yé (At the end of a sentence (like 啊))

4. Tí (Red wine)

5. Wěi (Tail)

#102.

A. 代

B. 炸

C. 区

D. 郧

E. 阡

1. Zhà (Explode)

2. Qiān (A footpath between fields, running north and south)

3. Dài (Take the place of)

4. Yún (A surname)

5. Qū (Distinguish)

#103.

A. 浍   1. Ē (Defecate)

B. 念   2. Zǐ (To cultivate the soil (on plant roots))

C. 耔   3. Huì (Ditch in the fields)

D. 屙   4. Niàn (Read aloud)

E. 扂   5. Yǎn (Upright bar for fastening door)

#104.

A. 赪   1. Jìng (Still)

B. 狍   2. Fù (Swim)

C. 忐   3. Tǎn (Uneasy)

D. 静   4. Páo (Roe deer)

E. 泅   5. Chēng (Red)

#105.

A. 尺   1. Jū (Net for catching hare)

B. 酱   2. Chǐ (A note of the scale in gongchepu , corresponding to 2 in numbered musical notation)

C. 罝   3. Jiàng (Paste)

D. 舴   4. Zé (Boat)

E. 胤   5. Yìn (Offspring)

#106.

A. 帝   1. Nìng (Mud)

B. 截   2. Luǒ (Exposed)

C. 裸   3. Dì (Emperor)

D. 吉   4. Jí (Lucky)

E. 泞   5. Jié (Cut)

#107.

A. 范   1. Jǐn (To the greatest extent)

B. 舡   2. Fàn (Pattern)

C. 尉   3. Wèi (Officer)

D. 尽   4. Chuán (Boat)

E. 魈   5. Xiāo (Mountain elf)

#108.

A. 斤   1. Jīn (Jin, a unit of weight (0.5Kg))

B. 丫   2. Yā (Ah)

C. 务   3. Wù (Affair)

D. 校   4. Gǒng (Mercury)

E. 汞   5. Xiào (School)

#109.

A. 印

1. Zhǐ (Small islets)

B. 阴

2. Suí (The Sui Dynasty)

C. 沚

3. Yìn (Seal)

D. 飒

4. Sà (Decrepit)

E. 隋

5. Yīn (Yin, the feminine or negative principle in nature)

#110.

A. 俞

1. Tā (She)

B. 校

2. Jiào (Check)

C. 咔

3. Yú (A surname)

D. 易

4. Kā (Click)

E. 她

5. Yì (Easy)

#111.

A. 沚

1. Zhǐ (Small islets)

B. 膨

2. Néng (Ability)

C. 秦

3. Péng (Expand)

D. 挖

4. Qín (The Qin Dynasty)

E. 能

5. Wā (Dig)

#112.

A. 倒

B. 叵

C. 辗

D. 霖

E. 冈

1. Pǒ (Impossible)

2. Dǎo (Fall)

3. Zhǎn (Roll)

4. Lín (Continuous heavy rain)

5. Gāng (Ridge (of a hill))

#113.

A. 雅

B. 裕

C. 娘

D. 流

E. 成

1. Yù (Abundant)

2. Yǎ (Refined)

3. Niáng (Ma)

4. Chéng (Accomplish)

5. Liú (Flow)

#114.

A. 列

B. 疧

C. 窣

D. 章

E. 骶

1. Sū (Rush out)

2. Zhāng (Chapter)

3. Dǐ (Sacrum)

4. Yàn (Used in place names)

5. Liè (Arrange)

#115.

A. 居   1. Gōng (Bend forward)

B. 信   2. Xìn (Letter)

C. 骶   3. Pàn (Betray)

D. 躬   4. Dǐ (Sacrum)

E. 叛   5. Jū (Reside)

#116.

A. 须   1. Jué (Feel)

B. 余   2. Yú (Remain)

C. 阢   3. Xū (Must)

D. 觉   4. Táng (Birch leaf pear)

E. 棠   5. Wù (In tranquil)

#117.

A. 柿   1. Shē (On credit)

B. 霎   2. Xiāo (Valiant)

C. 珊   3. Shà (A very short time)

D. 赊   4. Shān (Coral)

E. 骁   5. Shì (Persimmon)

#118.

A. 预   1. Shì (Thing)

B. 居   2. Diàn (Door latch)

C. 事   3. Chòu (Smelly)

D. 思   4. Sī (Think)

E. 臭   5. Yù (In advance)

#119.

A. 怔   1. Zhèng (Stare blankly)

B. 匿   2. Nì (Hide)

C. 定   3. Zé (Pool)

D. 风   4. Fēng (Wind)

E. 泽   5. Dìng (Calm)

#120.

A. 聆   1. Líng (Hear)

B. 相   2. Pò (Amber)

C. 珀   3. Tǎn (Leave uncovered)

D. 袒   4. Lā (Pull)

E. 拉   5. Xiàng (Looks)

#121.

A. 鹉   1. Zhì (An ancient drinking vessel)

B. 刮   2. Tóu (Top)

C. 觯   3. Pín (Poor)

D. 贫   4. Wǔ (Parrot)

E. 头   5. Guā (Shave)

#122.

A. 耢   1. Mí (Harness)

B. 罞   2. Lào (Level)

C. 縻   3. Nuó (A surname)

D. 郍   4. Lì (Scold)

E. 渢   5. Fēng (Sound of the flowing water)

#123.

A. 麂   1. Rán (Burn)

B. 巡   2. Zāo (Dregs)

C. 糟   3. Xún (Patrol)

D. 豪   4. Háo (A person of extraordinary powers or endowments)

E. 燃   5. Lù (Deer)

#124.

A. 宛   1. Jié (Exhaust)

B. 昝   2. Nián (Sticky)

C. 黏   3. Zǎn (A surname)

D. 竭   4. Lún (Sink)

E. 沦   5. Wǎn (As if)

#125.

A. 旭   1. Xù (Dawn)

B. 色   2. Péng (Expand)

C. 膨   3. Sè (Color)

D. 媒   4. Méi (Matchmake)

E. 尾   5. Wěi (Tail)

#126.

A. 畅   1. Chàng (Smooth)

B. 欣   2. Jì (Hold a memorial ceremony for)

C. 旨   3. Xīn (Glad)

D. 霈   4. Zhǐ (Purpose)

E. 祭　　　　　　　5. Pèi (Heavy rain)

#127.

A. 磨　　　　　　　1. Mó (Rub)

B. 员　　　　　　　2. Huī (Standard of a commander)

C. 昵　　　　　　　3. Yuán (Member)

D. 麾　　　　　　　4. Nì (Close)

E. 雇　　　　　　　5. Gù (Employ)

#128.

A. 茹　　　　　　　1. Suí (Peaceful)

B. 绥　　　　　　　2. Qín (The Qin Dynasty)

C. 邶　　　　　　　3. Shī (Shi, a state in the Zhou Dynasty)

D. 旷　　　　　　　4. Kuàng (Vast)

E. 秦　　　　　　　5. Rú (Eat)

#129.

A. 艨　　　　　　　1. Chì (Wing)

B. 继　　　　　　　2. Méng (Ancient warships protected with cowhide)

C. 翅　　　　　　　3. Bù (Pace)

D. 步　　　　　　　4. Kūn (Elder brother)

E. 昆 5. Jì (Continue)

#130.

A. 蛤 1. Ruǎn (Pliable)

B. 耎 2. gé (Clams)

C. 谦 3. Qiān (Modest)

D. 是 4. Shì (Yes)

E. 骦 5. Shuāng (Horse)

#131.

A. 皈 1. Bì (Certainly)

B. 必 2. Lèi (Class)

C. 类 3. Guì (Kneel)

D. 窈 4. Guī (Be converted to Buddhism)

E. 跪 5. Yǎo (Deep)

#132.

A. 种 1. Fēi (Mistake)

B. 匾 2. Shē (On credit)

C. 非 3. Zuǒ (The left side)

D. 赊 4. Chóng (A surname)

E. 左　　　　　　　　5. Biǎn (Plaque)

#133.

A. 辽　　　　　　　　1. Tū (Convex)

B. 凸　　　　　　　　2. Gā (Corner)

C. 耢　　　　　　　　3. Dīng (Mend the sole of a shoe)

D. 靪　　　　　　　　4. Liáo (Distant)

E. 旮　　　　　　　　5. Lào (Level)

#134.

A. 扃　　　　　　　　1. Tài (Phthalein)

B. 酞　　　　　　　　2. Xiān (Lift)

C. 黯　　　　　　　　3. Chāi (Send on an errand)

D. 差　　　　　　　　4. Jiōng (A bolt or hook for fastening a door from outside)

E. 掀　　　　　　　　5. Àn (Dim)

#135.

A. 则　　　　　　　　1. Zé (Standard)

B. 套　　　　　　　　2. Míng (Bright)

C. 浃　　　　　　　　3. Tào (Overlap)

D. 明　　　　　　　　4. Ruì (Auspicious)

E. 瑞   5. Jiā (Soak)

#136.

A. 飑   1. Xún (Ten days)

B. 旬   2. Zhēn (Discriminate)

C. 甄   3. Yáng ()

D. 蛮   4. Mán (An ancient name for southern nationalities)

E. 器   5. Qì (Implement)

#137.

A. 欸   1. Yàn (Wild goose)

B. 厨   2. Āi (Sigh)

C. 骭   3. Chú (Kitchen)

D. 雁   4. Gàn (Shank)

E. 冽   5. Liè (Cold)

#138.

A. 宁   1. Hán (Case)

B. 函   2. Níng (Peaceful)

C. 霖   3. Lín (Continuous heavy rain)

D. 窣   4. Táng (Hall)

E. 堂   5. Sū (Rush out)

#139.

A. 晃   1. Bǐ (Compare)

B. 貊   2. Huàng (Shake)

C. 昀   3. Mò (A kind of beast in ancient books)

D. 比   4. Yún (Sunlight)

E. 猴   5. Hóu (Monkey)

#140.

A. 勼   1. Ròu (Meat)

B. 猝   2. Tǎn (A kind of jade)

C. 瑻   3. Cù (Sudden)

D. 江   4. Gāng (A surname)

E. 肉   5. Jiū (Gather)

#141.

A. 遏   1. Zhào (Originate)

B. 泄   2. Xiè (Let out)

C. 歌   3. Gē (Song)

D. 犊   4. Dú (Calf)

E. 肇   5. Tà (Careless)

#142.

A. 巷   1. Fēn (Mist)

B. 朱   2. Qiāng (Ask)

C. 陞   3. Shēng (Liter)

D. 雾   4. Xiàng (Lane)

E. 将   5. Zhū (Bright red)

#143.

A. 糍   1. Kēng (Hole)

B. 焉   2. Fù (Swim)

C. 提   3. Tí (Raise)

D. 阬   4. Cí (Cooked glutinous rice pounded into paste)

E. 洑   5. Yān (Here)

#144.

A. 辗   1. Zhū (Spider)

B. 窖   2. Zhǎn (Roll)

C. 殂   3. Jiào (Cellar or pit for storing things)

D. 酥   4. Sū (Crisp)

E. 蛛   5. Chòu (Stink)

#145.

A. 弹   1. Chóng (Repeat)

B. 褘   2. Tán (Shoot)

C. 相   3. Huī (A pheasant pattern on the clothes)

D. 不   4. Xiàng (Looks)

E. 重   5. Bù (Do not)

#146.

A. 族   1. Lù (Hoisting tackle)

B. 上   2. Zú (Race)

C. 校   3. Shàng (On)

D. 厚   4. Jiào (Check)

E. 辘   5. Hòu (Thick)

#147.

A. 曝   1. Diàn (Shop)

B. 科   2. Pù (Expose to the sun)

C. 糌   3. Chěn (Gritty)

D. 碜   4. Kē (A branch of academic or vocational study)

E. 店   5. Cí (Cooked glutinous rice pounded into paste)

#148.

A. 渗   1. Yì (Assist (a ruler))

B. 赊   2. Mǐ ((Of water) full)

C. 沵   3. Lì (Stagnant)

D. 翊   4. Fèng (Seam)

E. 缝   5. Shē (On credit)

#149.

A. 驲   1. Gě (Ge, a unit of dry measure for grain)

B. 合   2. Gè (Individual)

C. 汹   3. Xiōng (Turbulent)

D. 个   4. Rì (Post horse)

E. 隙   5. Xì (Crack)

#150.

A. 瓴   1. Kāi (Open)

B. 开   2. Ná (Hold)

C. 分   3. Líng (Water jar)

D. 拿   4. Xuān (Warmth)

E. 暄   5. Fèn (Component)

ANSWERS (1-150)

#1.	C. Liǎn		B. Cǎi	E. Shēng	A. Jīn	D. Bù
A. Hú	D. Bǎn	#44.	C. Pǒ		B. Yā	E. Kūn
B. Zhuàn	E. Bì	A. Chā	D. Lào	#87.	C. Wù	
C. Gāo		B. Sī	E. Jì	A. Qīng	D. Xiào	#130.
D. Tuàn	#23.	C. Tǐ		B. Cí	E. Gǒng	A. gé
E. Pēng	A. Jiān	D. Jiè	#66.	C. Jī		B. Ruǎn
	B. Jī	E. Chǎ	A. Kuàng	D. Liù	#109.	C. Qiān
#2.	C. Zàng		B. Bù	E. Xiáo	A. Yìn	D. Shì
A. Qí	D. Mò	#45.	C. Yǔn		B. Yīn	E. Shuāng
B. Qiú	E. Bà	A. Fǎng	D. Yì	#88.	C. Zhǐ	
C. Mò		B. Jiāng	E. Dān	A. Yì	D. Sà	#131.
D. Cǐ	#24.	C. Liè		B. Pǎng	E. Suí	A. Guī
E. Hè	A. De	D. Yáng	#67.	C. Xiè		B. Bì
	B. Yǐn	E. Jì	A. Tāng	D. Yíng	#110.	C. Lèi
#3.	C. Huò		B. Yùn	E. Tāng	A. Yú	D. Yǎo
A. Tái	D. Zhū	#46.	C. Lì		B. Jiào	E. Guì
B. Qiě	E. Yǎo	A. Hóu	D. Wěi	#89.	C. Kā	
C. Tà		B. Wán	E. Jī	A. Lín	D. Yì	#132.
D. Náng	#25.	C. Qiǎng		B. Shēng	E. Tā	A. Chóng
E. Shéng	A. Fá	D. Jiāng	#68.	C. Huà		B. Biǎn
	B. Cōng	E. Chuán	A. Láng	D. Yuè	#111.	C. Fēi
#4.	C. Qū		B. Shú	E. Hūn	A. Zhǐ	D. Shē
A. Tiáo	D. Jī	#47.	C. Jiǒng		B. Péng	E. Zuǒ
B. Cǐ	E. Pào	A. Tiǎo	D. Suì	#90.	C. Qín	
C. Què		B. Yín	E. Hún	A. Rèn	D. Wā	#133.
D. Chuáng	#26.	C. Guō		B. Chí	E. Néng	A. Liáo
E. Duó	A. Huò	D. Jiān	#69.	C. Fù		B. Tū
	B. Guǎn	E. Táng	A. Hán	D. Cū	#112.	C. Lào
#5.	C. Jù		B. Cǎn	E. Guàn	A. Dǎo	D. Dīng
A. Nuò	D. Wǎng	#48.	C. Táng		B. Pǒ	E. Gā
B. Zhú	E. Tàn	A. Gǔ	D. Xīn	#91.	C. Zhǎn	
C. Shù		B. Bèi	E. Tōng	A. Jī	D. Lín	#134.
D. Yáng	#27.	C. Sūn		B. Guī	E. Gāng	A. Jiōng
E. Bìng	A. Chuāng	D. Kǎ	#70.	C. Kuàng		B. Tài
	B. Sǒng	E. Ōu	A. Juàn	D. Hú	#113.	C. Àn

#6.	C. Qū		B. Sù	E. Guò	A. Yǎ	D. Chāi
A. Ōu	D. Qū	#49.	C. È		B. Yù	E. Xiān
B. Jiē	E. Màn	A. Qǔ	D. Shèn	#92.	C. Niáng	
C. Fú		B. Pǐ	E. Líng	A. Wǎng	D. Liú	#135.
D. Dān	#28.	C. Zhàng		B. Yàng	E. Chéng	A. Zé
E. Jǐ	A. Gū	D. Jià	#71.	C. Yún		B. Tào
	B. Gāo	E. Cǎi	A. Tán	D. Liáo	#114.	C. Jiā
#7.	C. Fǔ		B. Pán	E. Zhēn	A. Liè	D. Míng
A. Jǐng	D. Páo	#50.	C. Chǎo		B. Yàn	E. Ruì
B. Fǎn	E. Zhǎn	A. Páo	D. Qí	#93.	C. Sū	
C. Liáo		B. Jiè	E. Bù	A. Qié	D. Zhāng	#136.
D. Líng	#29.	C. Diàn		B. Xūn	E. Dǐ	A. Yáng
E. Yóu	A. Duì	D. Hán	#72.	C. Niàn		B. Xún
	B. Níng	E. Kě	A. Lù	D. Yǐ	#115.	C. Zhēn
#8.	C. Dōng		B. Péi	E. Zhāng	A. Jū	D. Mán
A. Jiē	D. Lòng	#51.	C. Kū		B. Xìn	E. Qì
B. Nài	E. Wú	A. Sǔn	D. Jīng	#94.	C. Dǐ	
C. Biāo		B. Xiān	E. Yì	A. Kòu	D. Gōng	#137.
D. Yú	#30.	C. Sī		B. Hòu	E. Pàn	A. Āi
E. Lì	A. Mèi	D. Tā	#73.	C. Sàn		B. Chú
	B. Hàng	E. Zé	A. Lǐ	D. Wàng	#116.	C. Gàn
#9.	C. Bì		B. Chà	E. Fěi	A. Xū	D. Yàn
A. Huáng	D. Gān	#52.	C. Yōng		B. Yú	E. Liè
B. Qiān	E. Kǎ	A. Xiàn	D. Cān	#95.	C. Wù	
C. Hàn		B. Jiào	E. Xù	A. Mán	D. Jué	#138.
D. Chén	#31.	C. Shē		B. Rì	E. Táng	A. Níng
E. Lóng	A. Kè	D. Bài	#74.	C. Zhà		B. Hán
	B. Gòu	E. Zài	A. Chóng	D. Táng	#117.	C. Lín
#10.	C. Chóu		B. Dí	E. Zhì	A. Shì	D. Sū
A. Ruì	D. Pèi	#53.	C. Jiè		B. Shà	E. Táng
B. Guān	E. Jìng	A. Yín	D. Qiān	#96.	C. Shān	
C. Lěng		B. Yún	E. Qiāo	A. Zōu	D. Shē	#139.
D. Yú	#32.	C. Gòng		B. Xiè	E. Xiāo	A. Huàng
E. Chún	A. Yì	D. Yǐ	#75.	C. Zhài		B. Mò
	B. Chéng	E. Jìng	A. Nuó	D. Shì	#118.	C. Yún
#11.	C. Dá		B. Bà	E. Fèng	A. Yù	D. Bǐ

A. Chā	D. Chuāng	#54.	C. Guó		B. Diàn	E. Hóu
B. Tài	E. Ké	A. Jí	D. Qì	#97.	C. Shì	
C. Qiú		B. Xié	E. Dàn	A. Xùn	D. Sī	#140.
D. Lěi	#33.	C. Xù		B. Yuàn	E. Chòu	A. Jiū
E. Zēng	A. Wú	D. Qīng	#76.	C. Yáng		B. Cù
	B. Lā	E. Bāo	A. Jīng	D. Fù	#119.	C. Tǎn
#12.	C. Jiù		B. Guān	E. Suàn	A. Zhèng	D. Gāng
A. Yíng	D. Yú	#55.	C. Lóng		B. Nì	E. Ròu
B. Wǎn	E. Shēn	A. Zào	D. Lǐn	#98.	C. Dìng	
C. Wéi		B. Ruǎn	E. Mù	A. Cǎi	D. Fēng	#141.
D. Gān	#34.	C. Shǎng		B. Nì	E. Zé	A. Tà
E. Jiù	A. Gāng	D. Cǐ	#77.	C. Mǎng		B. Xiè
	B. Ē	E. Àn	A. Niáng	D. Jiàn	#120.	C. Gē
#13.	C. Pèi		B. Kōng	E. Céng	A. Líng	D. Dú
A. Fù	D. Zhòu	#56.	C. Xuán		B. Xiàng	E. Zhào
B. Wén	E. Huáng	A. Duǒ	D. Cōng	#99.	C. Pò	
C. Wēi		B. Gǎn	E. Chá	A. Fù	D. Tǎn	#142.
D. Guàn	#35.	C. Fěi		B. Kòng	E. Lā	A. Xiàng
E. Huái	A. Tè	D. Rán	#78.	C. Ěi		B. Zhū
	B. Zhā	E. Wú	A. Guài	D. Suí	#121.	C. Shēng
#14.	C. Cī		B. Gōu	E. Lìng	A. Wǔ	D. Fēn
A. Bó	D. Yī	#57.	C. Yán		B. Guā	E. Qiāng
B. Chī	E. Dīng	A. Bèi	D. Qí	#100.	C. Zhì	
C. Ér		B. Yé	E. Jí	A. Chōng	D. Pín	#143.
D. Sì	#36.	C. Chǎo		B. Gào	E. Tóu	A. Cí
E. Wén	A. Pǎo	D. Gān	#79.	C. Mó		B. Yān
	B. Kuí	E. Sī	A. Hè	D. Wàng	#122.	C. Tí
#15.	C. Gé		B. Xī	E. Xù	A. Lào	D. Kēng
A. Lǜ	D. Yì	#58.	C. Chī		B. Lì	E. Fù
B. Xī	E. Wèi	A. Yán	D. Xíng	#101.	C. Mí	
C. Chòng		B. Yī	E. Liú	A. Cháo	D. Nuó	#144.
D. Xún	#37.	C. Dié		B. Yé	E. Fēng	A. Zhǎn
E. Nuó	A. Fǎ	D. Zhāng	#80.	C. Mǐ		B. Jiào
	B. Bāo	E. Huā	A. Yán	D. Wěi	#123.	C. Chòu
#16.	C. Tán		B. Yūn	E. Tí	A. Lǜ	D. Sū
A. Ruì	D. Xuān	#59.	C. É		B. Xún	E. Zhū

B. Bà	E. Áo	A. Láng	D. Fēi	#102.	C. Zāo	
C. Sì		B. Zhèng	E. Shǎn	A. Dài	D. Háo	#145.
D. Jiā	#38.	C. Nài		B. Zhà	E. Rán	A. Tán
E. Fén	A. Guàn	D. Guī	#81.	C. Qū		B. Huī
	B. Pì	E. Liú	A. Yě	D. Yún	#124.	C. Xiàng
#17.	C. Dùn		B. Zhà	E. Qiān	A. Wǎn	D. Bù
A. Kào	D. Chuí	#60.	C. Nüè		B. Zǎn	E. Chóng
B. Chū	E. Jiào	A. Qiǎo	D. Tí	#103.	C. Nián	
C. Sǐ		B. Gāng	E. Kuò	A. Huì	D. Jié	#146.
D. Shǎng	#39.	C. Zāi		B. Niàn	E. Lún	A. Zú
E. Yǎn	A. Xīn	D. Lū	#82.	C. Zǐ		B. Shàng
	B. Yǎn	E. Yín	A. Cān	D. Yǎn	#125.	C. Jiào
#18.	C. Qì		B. Jiè	E. Ē	A. Xù	D. Hòu
A. Yì	D. Kē	#61.	C. Lù		B. Sè	E. Lù
B. Shān	E. Tāi	A. Zhàn	D. Rù	#104.	C. Péng	
C. Pèi		B. Dài	E. Shì	A. Chēng	D. Méi	#147.
D. Cān	#40.	C. Gǔ		B. Páo	E. Wěi	A. Pù
E. Lì	A. Yá	D. Gé	#83.	C. Tǎn		B. Kē
	B. Huī	E. Gǎi	A. Jìn	D. Jìng	#126.	C. Cí
#19.	C. Qiāng		B. Chá	E. Fù	A. Chàng	D. Chěn
A. Tǔn	D. Jì	#62.	C. Xī		B. Xīn	E. Diàn
B. Hàn	E. Qiè	A. Pò	D. Mò	#105.	C. Zhǐ	
C. Wàn		B. Wū	E. Yí	A. Chǐ	D. Pèi	#148.
D. Xī	#41.	C. È		B. Jiàng	E. Jì	A. Lì
E. Tān	A. Pào	D. Yuē	#84.	C. Jū		B. Shē
	B. Gàn	E. Zèng	A. Jié	D. Zé	#127.	C. Mǐ
#20.	C. Kě		B. Mì	E. Yìn	A. Mó	D. Yì
A. Shú	D. Tú	#63.	C. Xiān		B. Yuán	E. Fèng
B. Shāo	E. Bēi	A. Lín	D. Jiǎo	#106.	C. Nì	
C. Hésè		B. Gè	E. Yì	A. Dì	D. Huī	#149.
D. Bà	#42.	C. Bān		B. Jié	E. Gù	A. Rì
E. Zhǐ	A. Chù	D. Sī	#85.	C. Luǒ		B. Gě
	B. Tā	E. È	A. Tū	D. Jí	#128.	C. Xiōng
#21.	C. Huá		B. Lóng	E. Nìng	A. Rú	D. Gè
A. Yì	D. Zhǐ	#64.	C. Láng		B. Suí	E. Xì
B. Qiào	E. Pò	A. Qiáo	D. Jià	#107.	C. Shī	

C. Xū		B. Xǐng	E. Qíng	A. Fàn	D. Kuàng	#150.
D. Qiū	#43.	C. Jiāo		B. Chuán	E. Qín	A. Líng
E. Dǒu	A. Gěng	D. Jiù	#86.	C. Wèi		B. Kāi
	B. Tàng	E. Guī	A. Kuā	D. Jǐn	#129.	C. Fèn
#22.	C. Hù		B. Fán	E. Xiāo	A. Méng	D. Ná
A. Pí	D. Xī	#65.	C. Láng		B. Jì	E. Xuān
B. Shòu	E. Tuó	A. Kǎ	D. Sūn	#108.	C. Chì	

Milton Keynes UK
Ingram Content Group UK Ltd.
UKHW050641221123
432980UK00014B/795